na aventura de
n el elefan

El PeDo

Laurie Cohen & Nicolas Gouny

Esta mañana,
Juan el elefante
no se mueve.
Mantiene los glúteos cerrados.

¡Sobre todo, para no tirarse un pedo!

Sí, porque un pedo de elefante,
es muy peligroso…

Juan es tan grande…
Un solo pedo podría devastar
toda la jungla…

Si se atreviese a soltar
ese pedo,
probablemente derribaría
a los animales
como fichas de dominó,

los pájaros
volarían del revés,
las palmeras
tocarían el suelo,
los conejos
cavarían grandes canteras,
los peces
cambiarían de río,
los leones
perderían sus melenas,

las flores
se marchitarían de repente,
el suelo
se volvería blando,
las estrellas
entrarían en un agujero negro,
la luna
se escondería tras las nubes…

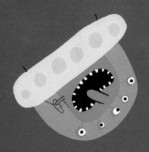

Sí, si Juan el elefante
se atreviera a soltar un
gran pedo…
Entonces probablemente
la tierra estallaría
en mil pedazos.
¡Y sería el fin del mundo
e incluso del universo!

Por cierto, es bien sabido
que son los elefantes
y no los meteoritos
quienes hicieron desaparecer
a los dinosaurios y a los mayas.

En fin, aquí está…

Aquí está Juan,
pegado al suelo,
aguantándose,

resistiendo…

Pero de tanto aguantar,

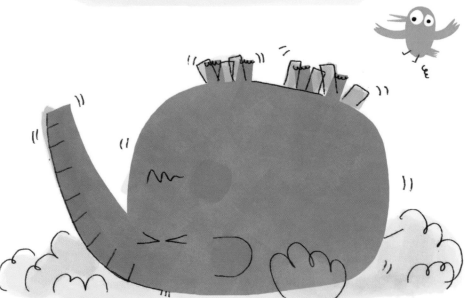

Juan el elefante
se pone rojo,

después azul,
se zarandea
y se retuerce.

PRI

¡Ya es suficiente!
Ya no puede más…
Adiós al universo.

RR

Y ya está… ha soltado su pedo.

Sorpresa. ¡Nada se ha movido!
Ni la menor brizna de hierba
o grano de arena.

-¡UFF! Suspira Juan, tranquilo.

Se coloca suavemente en el suelo
para hacer una pequeña siesta,
agotado por tantas emociones.

¡Indudablemente tiene mucha imaginación!

Pero he aquí…
En este instante…

Una pequeña hormiga
insignificante
llega a sus pies.